Michel Biehn

Photographies de Bernard Touillon

Les meilleures
recettes de
provence

Flammarion

Sommaire

Autrefois, à Arles, lorsqu'une femme était dans son costume de tous les jours, on disait qu'elle portait un costume « de simplicité », différent du costume de fête qu'elle porterait le dimanche. De la même manière, on peut dire que la cuisine provençale est une cuisine de simplicité. Lorsqu'on fait en Provence une cuisine plus élaborée, avec des feuilletages, des sauces, des mousses, ce n'est plus tout à fait de la cuisine provençale, c'est de la cuisine bourgeoise « comme à Paris ». La cuisine provençale tient sa richesse et l'originalité de ses goûts des merveilleux produits qui poussent ou vivent sur cette terre de Provence, ou tout près de ses côtes : la telline et l'anchois, la carde et le petit violet, l'ail et l'olive, l'amande et la truffe. Les cuissons sont simples : la braise, le four et le bouilli.

De la morue, des pommes de terre, des œufs, des escargots et des artichauts : c'est la recette du grand aïoli, page 60 (page 2).
L'apéritif avec ses assortiments de tapenades (page 3).
Les cocos pour la soupe au pistou, recette page 18 (ci-contre).
Les anchois au sel pour l'anchoïade, recette page 74 (ci-dessus).

Quelques plats mijotés, comme la daube ou la barigoule. Les seules sauces sont le coulis de tomates, la rouille et l'aïoli, et même le plus souvent un filet d'huile d'olive. En dessert, un peu de brousse et de confiture, ou quelques fruits, tant il est vrai que la Provence porte les plus beaux fruits de la terre. C'est aussi une cuisine de saison faite avec des produits frais achetés en pleine saison sur le marché. Les courgettes sont meilleures en été et les asperges à Pâques. Pas de conserves, sauf pour la tomate, car s'il faut faire une sauce tomate en décembre, alors, un bon coulis de conserve est préférable à ces pâles et fades tomates de serre que l'on trouve à prix d'or chez les marchands de primeurs.

Ce qui fait surtout la singularité et la subtilité de cette cuisine, c'est la manière très raffinée, je devrais presque dire la science ou l'art qu'ont les Provençales de doser les parfums des légumes, des herbes et des épices et de les combiner entre eux. Ainsi le poireau, quand il n'est pas le légume principal d'un plat, est-il souvent utilisé comme aromate, en petite quantité, dans les recettes de poisson

ou de morue. C'est aussi vrai pour la carotte ou pour l'olive dans les recettes de viandes mijotées. L'anchois joue également un rôle très important dans de nombreux plats.

Il faut surtout battre en brèche cette hérésie nommée « herbes de Provence ». Il ne s'agit pas pour cuisiner provençal de puiser dans un grand sac où l'on aurait mélanger du thym, du romarin, du laurier et de la farigoulette et de jeter systématiquement une poignée de ces herbes sur les grillades et les rôtis, dans les sauces et dans les ragoûts. Ça, c'est du mauvais folklore. Mais une branche de thym, une feuille de laurier ou une écorce d'orange, parfois ensemble mais pas toujours, parfumeront une daube ou un coulis.

Il est encore un ingrédient qui mérite une mention spéciale, c'est le fromage râpé. Ici on dit simplement le « râpé ». On le sert avec toutes les soupes et il recouvre, allié ou pas avec de la chapelure de pain, la plupart des gratins. Autrefois, on utilisait du fromage en provenance de Hollande qu'on appelait le « rouge ». Puis est apparu le fromage de Gruyère, qui a détrôné le Hollande. Pour ma part je trouve cela souvent dommage, il faudrait revenir à l'usage ancien et utiliser par exemple le « rouge » dans la soupe au pistou.

Et puisque nous venons de parler de fromage, je voudrais dire un mot du pain. Il est excellent partout en Provence et nos boulangers

sont de vrais artistes. Ils savent faire une grande variété de pains de formes et de textures différentes et ils les ont baptisés de bien jolis noms, comme l'épi et le fendu, la couronne et la fougasse, le pain d'Aix et le petit Beaucaire.

Il faut aussi parler des délicieux vins de Provence : les rosés, de Palette et de Bandol, du Ventoux et du Luberon, que l'on boit frais en été, mais encore les rouges superbes de Gigondas ou d'Aix-en-Provence, et bien sûr les blancs de Cassis ou de Châteauneuf-du-Pape, sans oublier le petit muscat de Beaumes-de-Venise. J'ai suggéré, chaque fois que l'accord me semblait heureux, un de ces vins pour accompagner les recettes de ce livre.

Vous l'avez compris, j'aime sincèrement ce pays et ses coutumes et j'ai bien l'intention de vous faire partager ce goût. Ceci dit, si ma mère était provençale, mon père était alsacien et gourmand, et son influence a un peu perverti la rigueur de notre tradition familiale. Aussi ne soyez pas étonnés si mes recettes de pâtisserie vous semblent un peu plus « riches » que ne le voudrait la simplicité coutumière en Provence. À part ces quelques écarts, j'essaie d'être un très fidèle serviteur de cette belle tradition provençale.

Le fromage de Hollande, qu'on appelle communément le « rouge », est parfait pour les gratins ou pour la soupe au pistou (en haut à gauche).
Épi, fendu, fougasse, pain d'Aix et petit beaucaire, ce sont les pains de Provence (en haut à droite).

LÉGUMES ET TRUFFES

Tian d'aubergines confites

>Lavez et essuyez les aubergines et les tomates, ne les épluchez pas. Épluchez par contre les oignons et coupez tous ces légumes en rondelles d'environ sept millimètres d'épaisseur. Vous allez maintenant, dans un plat à gratin en terre, disposer ces rondelles en les alternant : aubergine, oignon, tomate, aubergine, etc. Il ne faut pas les disposer en couches horizontales mais les dresser debout, bien serrées les unes contre les autres. Elles doivent occuper tout le plat même s'il faut un peu forcer pour rentrer les dernières. Vous glisserez encore dans les interstices une dizaine de petites gousses d'ail entières et épluchées. Salez, poivrez, parsemez d'un peu de thym et de marjolaine et arrosez d'une bonne rasade d'huile d'olive. Faites cuire une vingtaine de minutes à four moyen, puis sortez le plat du four et faites sortir le jus des légumes en les écrasant légèrement avec une écumoire ou un presse-purée. Ceci doit être fait délicatement pour ne pas défaire les légumes. Le jus doit affleurer la surface du gratin. Mettez à nouveau au four pour encore quarante minutes. Vous pouvez, si vous voulez, parsemer la surface du gratin de fromage râpé, un quart d'heure avant la fin de la cuisson. C'est délicieux mais ce n'est pas indispensable.

4 ou 5 aubergines de taille moyenne et bien fermes
autant de tomates et d'oignons blancs
une dizaine de petites gousses d'ail entières
sel
poivre
huile d'olive
thym
marjolaine
fromage râpé (facultatif)

Sur la photo ci-contre, à côté du tian d'aubergines confites un plat de petits farcis de légumes.

Aubergines et poivrons à la flamme

> Préparez une sauce avec de l'huile d'olive, du sel, du poivre, du persil et de l'ail hachés.

> Faites un feu de sarments, vif et léger, et installez une grille assez haut au-dessus du feu pour que les flammes viennent la lécher.

> Lavez et essuyez aubergines et poivrons rouges sans les éplucher ni leur ôter la queue. Piquez les aubergines avec une fourchette pourqu'elles n'éclatent pas pendant la cuisson et faites griller aubergines et poivrons dans les flammes. Ils vont devenir tout noirs, mais ne vous inquiétez pas. Tournez-les souvent pour qu'ils cuisent bien de tous les côtés.

> Une fois sortis du feu, enlevez la peau brûlée des aubergines sans ôter la queue. Pelez, videz et coupez en lanières les poivrons. Disposez le tout dans le plat de service et arrosez avec la sauce.

> On peut aussi cuire ces légumes au four et les servir de la même façon, mais c'est se priver du délicieux goût de fumée que donne la cuisson à la flamme et qui change tout.

aubergines
poivrons rouges
huile d'olive
sel
poivre
persil
ail

Aubergines
à la provençale

tomates
huile d'olive
sel
sucre
bouquet garni
2 gousses d'ail
aubergines
gros sel

> Nous allons d'abord préparer le coulis de tomates. Prenez des tomates bien mûres, lavez-les et coupez-les en quartiers. Puis, dans un petit fond d'huile d'olive, avec du sel, un peu de sucre, un bouquet garni et deux gousses d'ail, faites-les cuire à tout petit feu, jusqu'à ce que la sauce soit bien épaisse. Laissez refroidir. Vous pouvez alors passer le coulis de tomates dans un tamis avec un pilon de bois, si vous le préférez bien lisse.

> Passons aux aubergines. Il faut les laver, les essuyer, sans les éplucher. Coupez-les dans la longueur en tranches de 7 mm d'épaisseur à peu près. Si on a le temps, on peut alors les saupoudrer largement de gros sel et les faire dégorger 2 ou 3 heures, elles vont rendre ainsi beaucoup d'eau, et absorberont beaucoup moins de graisse lorsqu'on les fera frire. Si on les fait dégorger, il faut ensuite les presser dans la main comme on ferait d'une éponge pour en extraire toute l'eau. Ne craignez pas qu'elles soient trop salées. Vous pouvez alors les faire frire à la poêle et dans l'huile d'olive. Dès qu'elles ont pris une belle couleur de caramel de tous les côtés, faites-les égoutter sur un papier absorbant dans un plat incliné. Lorsqu'elles sont bien égouttées, vous disposez les tranches d'aubergines en couronne dans un plat creux et la sauce tomate au milieu et voilà « les aubergines à la provençale ».

Soupe de courge et de pain cuit

> Choisir avec soin, sans coup ni tache, une jolie courge de trois ou quatre kilos, pas plus. Coupez-lui un chapeau assez grand pour qu'une louche passe facilement dans l'ouverture pratiquée. À l'aide d'une cuillère, ôtez bien toutes les graines et les filaments autour des graines. Puis remplissez le creux ainsi ménagé de petits morceaux de pain sec et de fromage râpé, sel et poivre et une ou deux gousses d'ail hachées finement. Ensuite, versez de la crème fraîche un peu liquide à fleur de pain, mais restez deux centimètres en dessous de l'ouverture de la courge. Remettez le couvercle en place et emballez toute la courge dans du papier d'aluminium. Faites cuire deux heures à four assez chaud.

> Sortir la courge du four est un moment délicat car l'écorce s'est un peu ramollie. Faites attention de ne pas la crever. Débarrassez-la du papier d'aluminium et laissez-la s'égoutter un moment. Puis posez-la dans un plat creux et ôtez le couvercle. Avec une cuillère en bois, détachez doucement la chair de la courge sans aller au pain cuit. Servez cette soupe, épaisse et savoureuse, à la louche.

1 courge de 3 à 4 kg
pain sec
fromage râpé
sel
poivre
2 gousses d'ail
crème fraîche

Soupe au pistou

>Faites cuire dans 3 litres d'eau salée et pendant environ 2 heures les cocos, les haricots verts coupés en dés, les courgettes, les pommes de terre coupées en gros cubes et les oignons blancs en petits morceaux. N'ajoutez surtout pas de carottes car leur goût dénature celui du basilic. Au bout d'une heure et demie, retirez les morceaux de courgette et de pomme de terre avec une écumoire, écrasez-les au presse-purée ou à la fourchette et remettez cette purée dans la soupe.

>Préparez le pistou. Commencez par faire cuire les tomates dans la soupe pendant une demi-heure. Retirez-les au bout de ce temps, pelez-les et laissez-les refroidir sur un égouttoir. Dans un grand mortier de marbre, armé du pilon de bois, pilez une grosse poignée de feuilles fraîches de basilic avec les gousses d'ail. Ajoutez ensuite les tomates pelées et 5 c. à s. d'huile d'olive puis le « râpé ». Le meilleur fromage râpé pour la soupe est le « rouge », le fromage de Hollande étuvé, mais vous pouvez bien sûr utiliser du gruyère ou du parmesan. Poivrez abondamment, et mélangez bien afin d'obtenir une pâte lisse et homogène.

>Quelques minutes avant de servir, jetez trois poignées de coquillettes dans la soupe. Quand les pâtes sont cuites, retirez du feu et laissez un peu refroidir avant de mélanger le pistou à la soupe. Servez immédiatement ou froid le lendemain.

250 g de haricots cocos rouges
250 g de haricots cocos blancs
400 g de gros haricots verts plats
2 courgettes
3 pommes de terre
2 oignons blancs
3 tomates entières
1 grosse poignée de feuilles fraîche de basilic
7 gousses d'ail
150 g de râpé
huile d'olive
3 poignées de coquillettes

Salade de coudes

>Dans un saladier, réunir de l'huile d'olive bien fruitée dans laquelle on délaie une cuillerée à café de bonne moutarde et deux cuillerées à soupe de vinaigre, un petit oignon doux ou quelques cébettes coupées finement, les coquillettes cuites dans beaucoup d'eau salée jusqu'à ce qu'elles soient souples sous la dent, les haricots verts cuits « al dente » à l'eau bouillante salée avec un oignon émincé, les pois chiches trempés de la veille et cuits deux heures à l'eau salée (à moins que l'on ne dispose d'eau de cuisson d'épinards qui a la propriété d'attendrir considérablement les pois chiches et dans ce cas, c'est inutile de les faire tremper la veille et une heure de cuisson suffit), de belles tomates pas trop mûres, lavées, essuyées et coupées en dés, enfin quelques copeaux de fromage de chèvre un peu sec et quelques câpres bien égouttées de leur vinaigre de conserve. Laissez tout cela empilé dans cet ordre dans votre saladier.

>Ne mélangez qu'au dernier moment, juste avant de servir la salade.

250 g de haricots verts
250 g de pois chiches
250 g de tomates
huile d'olive
vinaigre
oignon
250 g de coquillettes
copeaux de fromage de chèvre
moutarde
câpres

Tarte au vert et aux pignons de pin

> Le vert, ce peut être soit des feuilles de blettes, soit des épinards. Les deux sont délicieux, on peut même les mélanger. En tout cas, triez et lavez vos feuilles et faites-les blanchir cinq minutes dans de l'eau bouillante salée, puis égouttez-les le plus possible.

> D'autre part, faites une pâte brisée en mélangeant rapidement, et sans trop travailler, la farine, une pincée de sel, le beurre, trois cuillerées à soupe d'huile d'olive et trois cuillerées à soupe d'eau. Étendez cette pâte dans un moule à tarte, piquez le fond avec une fourchette et faites-la cuire à four doux, toute seule, un petit quart d'heure. Elle ne doit pas prendre couleur.

> Pendant ce temps, dans un bol, mélangez à la fourchette les jaunes d'œufs, la crème fraîche épaisse, le gruyère râpé, un peu de sel et un peu de poivre du moulin.

> Sortez la pâte du four. Étalez les feuilles de blettes ou d'épinards sur cette pâte. Versez le mélange d'œufs et de crème sur la tarte, saupoudrez avec les pignons de pin, décorez avec quelques olives noires, puis remettez la tarte au four encore vingt minutes.

> Servez-la chaude ou tiède.

feuilles de blettes ou d'épinards
250 g de farine
50 g de beurre
3 c. à s. d'huile d'olive
2 jaunes d'œufs
100 g de crème fraîche épaisse
100 g de gruyère râpé
sel
poivre
100 g de pignons de pin
olives noires

Sur la photo ci-contre, à côté de la tarte au vert et aux pignons de pin, un tian de carde dont la recette se trouve à la page 34.

Tourtes au vert

> Le « vert », ce sont les herbes. On peut bien sûr faire ces tourtes avec les épinards ou des feuilles vertes de blettes, mais elles seront meilleures si l'on y ajoute des herbes sauvages, comme la roquette, de jeunes pousses d'orties, des pissenlits et quelques poireaux sauvages.

> Triez et lavez les herbes et les épinards. Égouttez-les, hachez-les grossièrement. La proportion idéale est moitié épinards, moitié herbes sauvages.

> Dans une grande poêle, et à feu doux, versez un filet d'huile d'olive, et faites fondre le hachis d'herbes doucement jusqu'à complète évaporation de l'eau rendue par les herbes, salez et surtout poivrez généreusement. Et laissez refroidir.

> Pendant ce temps, préparez une pâte feuilletée avec la farine et le beurre, un peu de sel et un peu d'eau froide. Étalez cette pâte au rouleau en une feuille d'1 cm d'épaisseur. Il faut alors découper des rectangles de pâte d'environ 10 cm sur 6. Sur la moitié des rectangles de pâte, on dépose un petit tapon d'herbes que l'on recouvre avec un autre rectangle, en prenant soin de souder les bords avec un peu d'eau. Avec la pointe d'un couteau, pratiquez quelques incisions sur le dessus des petites tourtes, pour le décor. Badigeonnez-les ensuite de jaune d'œuf avec un pinceau. Faites-les cuire dans un four assez chaud. Ces tourtes seront meilleures servies tièdes.

épinards
herbes sauvages
1 petite laitue
fines herbes du jardin
500 g de farine
250 g de beurre
jaune d'œuf
huile d'olive
sel
poivre

Œufs farcis

>Comptez deux œufs par personne.
Faites-les durcir, écalez-les, partagez-les en deux, réservez les jaunes et rangez les blancs les uns contre les autres dans un plat à gratin, le dos contre le fond du plat.

>Faites blondir à petit feu les oignons hachés en fines lamelles dans un mélange de beurre et d'huile d'olive. Ils doivent fondre sans roussir.

>D'autre part, triez, lavez et ôtez les queues et les grosses nervures des épinards. Faites-les blanchir dans de l'eau salée trois minutes.
Égouttez-les soigneusement.
Hachez-les grossièrement et mélangez ce hachis avec les oignons blondis, les jaunes d'œufs durs, un peu de lait, du sel et du poivre.

>Remplissez les blancs de cette farce. Saupoudrez de gruyère râpé et recouvrez le gratin d'une béchamel légère. Faites gratiner un quart d'heure à four chaud.

2 œufs par personne
2 oignons hachés
beurre
huile d'olive
500 g d'épinards
lait
gruyère
sel
poivre

Photo ci-contre :
œufs farcis et sardines aux épinards (recette page 62).

Gâteau d'omelettes

> Dans un moule en verre à feu rond et beurré, déposez successivement cinq omelettes baveuses sans les plier, le côté cuit au fond.

> Il faut prendre une petite poêle, de même diamètre que le moule et commencer par une omelette aux cébettes : faites dorer les cébettes, hachées menu dans un peu d'huile d'olive, assez longtemps et à tout petit feu, puis sortez-les en égouttant l'huile, et incorporez-les à six œufs battus légèrement – quelques coups de fourchettes suffisent –, salez et poivrez. Faites chauffer la poêle avec 2 c. à s. d'huile d'olive, versez les œufs au milieu de la poêle, et remuez en tournant avec une cuillère en bois pendant quelques instants, sans précipitation. La poêle doit être chaude au début, mais l'omelette doit cuire à feu assez doux car il ne faut pas qu'elle prenne couleur, et elle doit rester moelleuse. Une fois cuite, déposez-la au fond du moule.

> Continuez par l'omelette aux épinards : une grosse poignée d'épinards lavés, hachés grossièrement et fondus à la poêle dans l'huile d'olive avec du sel et du poivre, de nouveau 6 œufs, et dans le moule.

> Puis une omelette à l'ail : une gousse d'ail hachée fin directement dans les œufs, sel et poivre.

> Puis une omelette à la tomate : deux grosses cuillerées à soupe de coulis

cébettes
une grosse poignée
d'épinards
coulis de tomates
1 gousse d'ail
huile d'olive
30 œufs
huile d'olive
persil
ciboulette
fines herbes
sel
poivre

vin :
côtes-du-luberon rosé

de tomates assez concentré, bien aromatisé d'oignons, d'ail et de thym, mélangées aux œufs.

> Et enfin une omelette aux fines herbes, persil et ciboulette.

> Mettez le gâteau au four dans un bain-marie pendant 20 mn, puis démoulez et laissez refroidir. Ce gâteau se sert froid et découpé en tranches pour montrer ses jolies couleurs.

Marmite de petits légumes

> Il faut tous les jolis petits légumes nouveaux : pommes de terre, carottes, oignons blancs, petits pois, fèves, haricots mangetout, petits artichauts violets et cœurs de laitue. Lavez bien tous les légumes. N'épluchez pas les pommes de terre ni les bébés artichauts, grattez à peine les carottes ou pas du tout, enlevez une peau aux oignons, écossez les petits pois et les fèves et effeuillez les cœurs de laitue. Mettez-les dans la cocotte avec trois cuillerées à soupe d'huile d'olive, trois cuillerées à soupe d'eau, sel, poivre et un peu de sucre en poudre. Laissez cuire à feu doux une bonne demi-heure à couvert.

pommes de terre
carottes
oignons blancs
petits pois
fèves
haricots mangetout
petits artichauts violets
cœurs de laitue
3 c. à s. d'huile d'olive
sel
poivre
un peu de sucre en poudre

Compote de fenouil

> Coupez quelques pieds de fenouil et autant d'oignons en fine julienne.

> Dans un poêlon ou dans une cocotte, avec un peu d'huile d'olive, faites doucement dorer les oignons, puis ajoutez le fenouil émincé, une goutte d'eau, une pincée de sel, deux tours de poivre et le paprika. Mélangez bien, couvrez et laissez compoter 20 min à l'étouffée.

> Servez chaud avec une purée de céleri, en accompagnement d'un rôti de bœuf.

fenouil
oignons
huile d'olive
sel
poivre
2 c. à c. de paprika

Pommes de terre au four

>Épluchez, lavez et essuyez les
pommes de terre. Coupez-les en
morceaux de la taille d'un œuf.
Disposez-les dans un plat à four, avec
un demi-verre d'eau, du thym
émietté et du sel. C'est tout. Faites-les
cuire trois quarts d'heure à four
moyen. Elles doivent être bien
dorées, un peu soufflées, et
parfaitement moelleuses à
l'intérieur. Servez-les bien chaudes
avec un morceau de beurre ou un
filet de bonne huile d'olive fruitée.

1,5 kilo de pommes de
terre
thym
sel

Frites à l'ail

>Lavez, épluchez les pommes de terre
et coupez-les en grosses frites. Faites
chauffer 1 cm d'huile d'olive dans
une grande poêle. Essuyez les frites
dans un torchon avant de les mettre
dans l'huile chaude, mais pas
brûlante. La cuisson doit se faire
doucement, l'huile doit frémir
autour des frites, celles-ci doivent
prendre une belle couleur dorée.

>Au bout d'une dizaine de minutes,
jetez dans la poêle une douzaine de
gousses d'ail en chemise et laissez-les
finir la cuisson au milieu des frites,
sans cesser de tourner et retourner.

>Quand les frites sont bien dorées,
sortez-les de la poêle et mettez-les
dans un saladier sur un papier
absorbant. Salez et servez aussitôt.

6 ou 7 grosses pommes
de terre
12 gousses d'ail
huile d'olive
sel

vin :
vinsobres rouge

Ravioles frites

>Achetez des petites ravioles de
Romans, vous savez, ces raviolis
lilliputiens farcis de brousse. Séparez-
les délicatement et faites-les frire, à la
poêle, dans un doigt d'huile d'olive,
chaude mais pas brûlante, juste le
temps de leur donner une jolie
couleur dorée. Retirez-les avec
l'écumoire et faites-les égoutter sur
du papier absorbant, puis salez-les
généreusement, et servez-les tout de
suite bien chaudes.

ravioles de Romans
huile d'olive
sel

Tian de carde

>Choisissez un pied de carde bien
blanc. Épluchez les côtes, enlevez les
fils, et coupez-les en morceaux de
4 cm environ. Faites-les tremper dans
un saladier d'eau citronnée.

>Délayez une poignée de farine dans
une marmite d'eau salée, portez à
ébullition, et faites cuire vos cardons
une bonne heure. Lorsqu'ils sont bien
tendres, égouttez-les .

>Puis mettez-les dans une cocotte à feu
doux avec l'huile d'olive, l'oignon,
l'ail haché et les filets des anchois.
Saupoudrez ensuite 50 g de farine,
tournez bien et versez le lait chaud en
mélangeant jusqu'à ce que ça
épaississe. Salez et poivrez.

>Versez le tout dans un tian, recouvrez
de gruyère râpé et faites gratiner un
quart d'heure au four.

un pied de carde
100 g de farine
3 c. à s. d'huile d'olive
1 oignon
2 gousses d'ail
2 anchois
1/2 l de lait
gruyère râpé
sel
poivre

Ragoût de truffes

>Brossez les truffes, pelez-les.

>Faites dorer une échalote hachée dans un peu de beurre et un peu d'huile d'olive, ajoutez une demi-bouteille de châteauneuf-du-pape blanc et laissez réduire du tiers à découvert et à petit feu. Salez et poivrez puis ajoutez vos truffes coupées en rondelles de cinq millimètres d'épaisseur.

>Tournez, couvrez et laissez ainsi trois ou quatre minutes, juste le temps de chauffer les truffes afin qu'elles dégagent tout leur parfum.

>Servez tout de suite et bien chaud.

1 kg de truffes
1 échalote
beurre
huile d'olive
1/2 bouteille de
châteauneuf-du-pape
blanc

vin :
châteauneuf-du-pape
blanc

Brouillade aux truffes

>La veille, râpez finement la ou les truffes, les mettre dans un bol et les recouvrir d'un petit verre d'huile d'olive vierge.

>Battez les œufs. Ajoutez huile et truffes, du sel et du poivre du moulin. Versez dans une casserole, faites cuire au bain-marie 20 mn, en tournant constamment.

>Lorsque la brouillade a la consistance d'une crème un peu épaisse, ôtez la casserole du feu. Ajoutez la crème fraîche et versez immédiatement dans un plat de service.

>Servez bien chaud avec une salade de mâche.

1 ou plusieurs truffes
1 verre d'huile d'olive
vierge
œufs
sel
oivre
1 c. à s. de crème
fraîche

vin :
hermitage blanc

Pieds et paquets à la Marseillaise

>Nettoyez les tripes avec soin, à l'eau courante. Découpez les ventres en morceaux rectangulaires de 10 cm sur 5 environ. Roulez-les autour d'un morceau de petit salé, et attachez-les avec des bandes tirées sur la fraise.

>Dans une cocotte profonde de terre vernissée, rangez soigneusement les pieds d'agneau et les paquets de tripes en mettant au fond et entre chaque rangée des rondelles de carottes, de la chair de tomates épluchées et concassées, quelques dés de petit salé, de minces rondelles d'oignons, des échalotes, des côtes de céleri émincées, 1 ou 2 gousses d'ail finement hachées, du persil, du sel, du poivre, un verre de vin blanc et, si vous en aimez le goût, 2 ou 3 clous de girofle. Faites avec de la farine et très peu d'eau un cordon de pâte pour sceller hermétiquement le couvercle de la cocotte, si toutefois celui-ci est muni d'un petit trou pour laisser échapper la pression de la vapeur.

>Placez la marmite pendant 6 à 7 heures dans un four très doux.

2 ventres et 8 pieds d'agneau
1,5 livre de fraise de veau
petit salé
carottes
tomates
oignons
échalotes
céleri branche
2 gousses d'ail
persil
poivre
sel
vin blanc
clous de girofle
farine

vin :
côtes-du-rhône rosé

Potée

>Dans un grand pot de fer ou de terre, disposez quelques couennes de lard, et par-dessus tous les légumes de la potée, entiers et épluchés (sauf les pommes de terre qui viendront plus tard) : un chou bien rond et dodu que vous aurez d'abord fait blanchir quelques minutes, puis carottes, navets et deux oignons. Dans un troisième oignon, vous planterez trois clous de girofle. Sur les légumes, vous poserez les viandes : un petit jarret de porc, un morceau de petit salé et un morceau de poitrine fumée et deux saucisses de ménage à l'ail, piquées de quelques coups de fourchette. Puis au beau milieu la plus belle des pommes de reinette. Il faut encore trois étoiles d'anis, une feuille de laurier, quelques tours de poivre du moulin et un peu de sel (pas trop à cause des viandes salées). Enfin vous verserez deux grands verres de bon vin blanc sec et compléterez d'eau pour baigner presqu'à fleur. Couvrez le pot et laissez cuire 2 heures à tout petit bouillon. 1 heure avant la fin de la cuisson, ajoutez deux pommes de terre et un petit jambonneau. Servez tout fumant, sans le bouillon, avec des cornichons et des moutardes.

>Cette potée peut facilement devenir un superbe repas pour douze. Il faut simplement augmenter les quantités. Et je vous conseille alors d'y ajouter une poule qu'il faudra laisser cuire une heure toute seule auparavant et quelques saucisses de couenne.

Pour 2 personnes

Quelques couennes de lard
1 chou
2 carottes
2 navets
3 oignons
3 clous de girofle
1 petit jarret de porc
1 morceau de petit salé
1 morceau de poitrine fumée
2 saucisses de ménage à l'ail
1 pomme de reinette
3 étoiles d'anis
1 feuille de laurier
2 pommes de terre
1 petit jambonneau
sel
poivre
2 verres de vin blanc sec

vin :
côtes-du-rhône
Rasteau rouge

Bœuf braisé
aux carottes

>Faites préparer par votre boucher un
beau rôti bardé de lard d'1,5 kg de
viande courte.

>Coupez du petit salé en gros dés et
mettez-le dans la cocotte avec un peu
d'huile d'olive et un peu de beurre.
Lorsque tout est très très chaud,
mettez la viande à feu très vif et
tournez-la plusieurs fois pour la
saisir.

>Mouillez d'un verre de bon vin blanc
sec que vous laisserez un peu
évaporer, puis couvrez et baissez le
feu.

>Au bout d'une heure, ajoutez un kilo
de carottes coupées en épaisses
rouelles, deux oignons émincés, une
côte de céleri et une gousse d'ail
hachées finement. Suivant la saison,
on peut mettre la chair d'une
tomate, mais jamais de coulis. Il faut
encore trois heures de cuisson à
couvert.

> Vers la fin, on peut ajouter des
morilles cuites ou des olives noires,
mais au dernier moment.

1 beau rôti bardé de
lard d'1,5 kilo
petit salé
huile d'olive
beurre
1 verre de vin blanc
sec
1 kilo de carottes
2 oignons
1 côte de céleri
1 gousse d'ail
la chair d'une tomate
morilles cuites
(facultatif)
olives noires
(facultatif)

vin :
lirac rouge

Alouettes sans tête

> Faites couper par votre boucher de fines tranches de bœuf dans la noix, de cinq centimètres sur huit. Sur chaque tranche, vous poserez un dé de petit salé et une c. à c. d'un hachis d'ail et de persil. Roulez les tranches de bœuf autour du morceau de petit salé et attachez-les avec de la ficelle de cuisine. Les alouettes sont prêtes.

> Dans un poêlon ou une cocotte, mettez un peu d'huile d'olive, un oignon et une carotte coupées en fines rondelles. Puis rangez par-dessus vos alouettes. Portez sur un feu doux. Lorsque le fond commence à attacher, ajoutez un verre de vin blanc sec, puis, un peu plus tard, deux verres de bouillon, une feuille de laurier, une petite branche de thym, un zeste d'orange séché, deux gousses d'ail en chemise, la chair de deux tomates mûres (mais pas de coulis).

> Couvrez le poêlon ou la cocotte et laissez cuire tout doucement deux heures.

fines tranches de bœuf
coupées dans la noix
dés de petit salé
ail
persil
huile d'olive
1 oignon
1 carotte
1 verre de vin blanc sec
2 verres de bouillon
1 feuille de laurier
une branche de thym
1 zeste d'orange séché
2 gousses d'ail
2 tomates

Lapin de champ à la moutarde

>Coupez le lapin en morceaux. Enfermez-les quelques heures dans une cocotte en terre vernissée avec du thym, du laurier, quatre gousses d'ail écrasées, du romarin (mais très peu car le romarin est très parfumé et prend vite le dessus sur les autres aromates) et un oignon coupé en rondelles. Lorsque vous retirez le lapin, débarrassez-le des herbes et des aromates. Badigeonnez vos morceaux de lapin de moutarde et enroulez chaque morceau dans une platine de lard, en glissant une jolie branche de thym entre le lard et le lapin.

>Rangez les morceaux dans un plat à gratin huilé, un peu de chapelure sur chaque morceau, et à four chaud pour une demi-heure.

>Déglacez avec du vin blanc et une cuillerée à café de vinaigre de vin, et servez ce lapin bien chaud avec des pommes de terre au four et une bonne salade aux croûtons à l'ail.

un beau lapin
autant de fines platines
de petit salé que de
morceaux de lapin
moutarde de Dijon
thym
laurier
4 gousses d'ail
romarin
1 oignon
chapelure

vin :
gigondas rouge

Poularde pochée

>La veille ou même l'avant-veille, vous allez farcir la poularde. Préparez la farce : hachez la chair de veau, le foie de la poule, le foie gras, les belles truffes, et mélangez bien avec 1 c. à s. d'huile d'olive, le cognac, du sel et du poivre du moulin. Farcissez et bridez la poularde. Conservez-la dans un endroit frais.

>Placez la poularde dans une marmite juste assez grande pour la contenir. Ajoutez deux carottes, un oignon piqué d'un clou de girofle, le persil, du thym et du laurier, un poireau. Mouillez à hauteur avec de l'eau froide ou du bouillon. Salez et laissez pocher à couvert et à tout petit feu pendant 2 heures environ.

>Un quart d'heure avant de servir, faites fondre dans une casserole 20 g de beurre. Ajoutez et mélangez 1 c. à s. de farine et laissez cuire quelques minutes sans colorer. Sortez du feu et ajoutez peu à peu 3 dl du bouillon de poule. Mélangez avec un fouet et remuez jusqu'à l'ébullition. Cuire doucement quelques minutes. Puis ajoutez la crème fraîche épaisse. Ensuite, hors du feu, un ou deux jaunes d'œufs, puis un filet de citron et une pointe de muscade râpée. Terminez en incorporant un petit morceau de beurre frais.

>Servez la poularde débarrassée de la ficelle, accompagnée d'un riz créole et de la sauce en saucière.

1 poularde
500 g de chair de veau
foie de la poule
100 g de foie gras
1 ou 2 belles truffes
huile d'olive
3 c. à s. de cognac
2 carottes
1 oignon piqué d'un
clou de girofle
1 poireau
20 g de beurre
100 g de crème fraîche
épaisse
2 œufs
citron
muscade râpée
1 petit bouquet de
persil
thym
laurier
sel
poivre
persil

vin :
crozes-hermitage rouge

Poulet jaune soleil

>La veille, préparez la marinade avec un verre d'huile d'olive, une cuillerée à soupe de paprika doux et une cuillerée à soupe de curcuma, du sel et du poivre. Découpez deux beaux poulets en morceaux et faites-les mariner toute la nuit.
Le lendemain, faites revenir les morceaux de poulet à la poêle dans l'huile de la marinade jusqu'à ce qu'ils soient bien dorés, puis réservez-les.

>Ensuite, dans la même poêle, faites blondir les oignons émincés, puis ajoutez les gousses d'ail écrasées et les tomates épépinées et concassées. Ajoutez un morceau de gingembre frais, et laissez mijoter ainsi une dizaine de minutes à feu doux.

>Remettez ensuite les morceaux de poulet, et arrosez du jus des citrons. Laissez cuire encore une vingtaine de minutes à petit feu et ajoutez quelques olives concassées violettes et vertes.

>Laissez sur le feu juste le temps de réchauffer les olives.

>Dressez dans un grand plat et décorez de quartiers de citrons confits au sel.

1 verre d'huile d'olive
1 c. à s. de paprika doux
1 c. à s. de curcuma
2 beaux poulets
4 oignons émincés
6 gousses d'ail
4 tomates bien mûres
gingembre frais
2 citrons
olives concassées violettes et vertes
quartiers de citrons confits au sel
sel
poivre

vin :
condrieu

Morilles aux saucissettes

> Coupez le bas du pied des morilles qui est incrusté de sable. Lavez soigneusement les champignons à l'eau claire et égouttez-les bien. Coupez les plus gros en deux ou trois morceaux.

> Piquez les saucissettes avec une fourchette pour qu'elles n'éclatent pas à la cuisson et faites-les cuire à la poêle afin qu'elles dégorgent un peu de leur gras.

> Retirez-les de la poêle et gardez-les au chaud. Ajoutez un petit morceau de beurre et une cuillerée à soupe d'huile d'olive dans la poêle, et lorsque tout est chaud, jetez-y les morilles. Salez et poivrez. Laissez-les cuire jusqu'à ce que l'eau de végétation soit complètement évaporée.

> Remettez les saucissettes dans la poêle avec les champignons et laissez-les cuire ensemble encore deux minutes. Saupoudrez de persil haché et servez bien chaud.

> Vous pourrez faire le même plat à l'automne avec des sanguins, des lactaires délicieux, en ajoutant à la fin un peu d'ail haché avec le persil.

morilles
2 saucissettes
(saucisses fraîches
minces et longues) par
convive
beurre
1 c. à s. d'huile d'olive
persil haché
sel
poivre

vin :
séguret rouge

Tellines à l'aïoli

>La telline est un petit coquillage bivalve qui vit dans le sable des plages de Camargue et que vous trouverez chez tous les bons poissonniers de Provence.

>Vous commencerez par les laisser tremper dans de l'eau fraîche toute une nuit afin qu'elles dégorgent leur sable.

>Puis vous préparerez un bon aïoli avec un demi-litre d'huile (voir recette page 60).

>Peu de temps avant de servir, vous porterez à ébullition dans une grande casserole un petit verre de vin blanc avec un petit oignon et une gousse d'ail finement hachés et une goutte d'huile d'olive puis, sur feu vif, vous y ferez ouvrir les tellines à couvert en secouant la casserole pendant cinq minutes. Mais vous pouvez aussi plus simplement les faire ouvrir sur feu vif, sans rien, et c'est presque mieux.

>Laissez un peu refroidir mais pas trop, puis mélangez les tellines et l'aïoli et servez tiède.

tellines
1 verre de vin blanc
1 oignon
1 gousse d'ail
huile d'olive

vin :
vin de pays rosé
faugères blanc

Rouille du pêcheur des Marquises

> Commencez par faire cuire les pommes de terre en robe des champs, à l'eau bouillante salée, avec un poireau, un oignon, une gousse d'ail, deux feuilles de laurier, un peu de thym, et du poivre blanc.

> Puis préparez deux kilos de seiches. Ôtez l'os et la poche à encre, coupez-les en carrés de deux centimètres de côté, et faites-les cuire dans trois quarts d'eau pour un quart de vin blanc avec un oignon, un poireau, un citron, de l'ail, des herbes, du sel et du poivre. Faites bouillir le bouillon et ses éléments un quart d'heure avant d'y jeter les seiches et de baisser le feu. Laissez cuire les seiches une vingtaine de minutes.

> Pendant ce temps, préparez un aïoli en ajoutant à l'ail et au jaune d'œuf une cuillerée à café de moutarde avant de monter à l'huile d'olive (voir recette page 60).

> Pelez les pommes de terre et coupez-les en morceaux, égouttez les seiches (ôtez le poireau, l'oignon, le citron, l'ail et les herbes) et mélangez avec l'aïoli.

> Servez cette rouille du pêcheur tout de suite et très chaude. Je la présente à table dans une soupière chaude avec son couvercle.

Pour 12 personnes

2 kilos de pommes de terre
2 poireaux
2 oignons
2 gousses d'ail
2 feuilles de laurier
thym
poivre blanc
2 kilos de seiches
1 citron
vin blanc
1 jaune d'œuf
moutarde
huile d'olive
sel
poivre

Bouillabaisse

>Préparez la soupe de poissons de roche. Dans un fond d'huile d'olive, faites revenir 5 min la chair des tomates, 2 branches de fenouil, 1 feuille de laurier, 2 gousses d'ail épluchées et écrasées, une écorce d'orange séchée, du safran, du sel, du poivre. Ajoutez 1,5 kg de poissons de roche, sans les vider. Mouillez avec 2 l d'eau froide. Laissez cuire 45 min après l'ébullition. Passez au chinois en écrasant bien les poissons.

>Pendant ce temps, videz et écaillez les poissons. Réservez les foies pour préparer une rouille d'oursin (page 73). Mettez les poissons dans un grand tian avec des branches de fenouil, des tomates et des pommes de terre pelées et coupées en grosses rondelles, du sel, du poivre et du safran. Arrosez d'huile d'olive, mélangez et laissez mariner au frais.

>Portez la soupe à ébullition et plongez-y les pommes de terre et la marinade, mais pas les poissons. Faites reprendre l'ébullition et laissez cuire 10 min. Ajoutez alors les poissons fermes comme fielus, rascasses et baudroie. Au bout de 10 nouvelles minutes, baissez le feu et ajoutez les poissons à chair tendre comme le saint-pierre et la vive pour encore 5 min. Gouttez, rectifiez l'assaisonnement et servez un premier service de soupe avec des croûtons aillés, du râpé et la rouille. Puis les poissons dans un plat avec les pommes de terre, la rouille et encore de la soupe pour mouiller.

Pour la soupe de poisson de roche
1,5 kg de poissons de roche
2 tomates
2 branches de fenouil
1 feuille de laurier
2 gousses d'ail
1 écorce d'orange séchée
safran
sel
poivre

Pour la bouillabaisse proprement dite
six tranches de baudroie
six tranches de fielas
3 vives
1 saint-pierre
4 rascasses moyennes.
éventuellement :
des rascasses blanches
des galinettes (grondins)
des chapons (scorpènes)
rouille

vin :
cassis blanc

Grand aïoli

> Il faut de la morue salée, quelques beaux filets épais que l'on mettra à tremper vingt-quatre heures, en changeant l'eau au moins quatre fois. Quand elle est bien dessalée, faites pocher la morue une vingtaine de minutes sans jamais la laisser bouillir. On pourra la servir tiède ou froide.

> Ensuite, préparez les légumes : des pommes de terre en robe des champs, cuites dans leur peau, et servies chaudes ; des carottes entières, épluchées et bouillies ; un ou deux petits choux-fleurs bien blancs pochés « al dente » ; des courgettes bouillies dans leur peau ; des betteraves rouges, bouillies puis épluchées ; des poireaux ; des haricots verts et des artichauts. Chaque légume doit être cuit séparément. Il faut encore des œufs durs que l'on servira écalés. Et enfin, les escargots, des petits gris que l'on fera jeûner trois semaines avant de les pocher 20 min dans de l'eau salée, avec quelques herbes (thym, laurier).

> Et surtout, il faut préparer la sauce, dans un grand mortier de marbre, avec un pilon de bois. Écrasez une dizaine de gousses d'ail crues, et pilez pour les réduire en une pâte lisse. Ajoutez deux jaunes d'œufs (pour plus de sécurité, pensez, la veille, à enfermer les œufs et l'huile dans le même placard, ils seront ainsi à la même température, ce qui facilitera l'opération). Après, on monte l'aïoli comme une mayonnaise, en troquant le pilon de bois contre un fouet et en versant l'huile d'olive, petit à petit au début, plus rapidement ensuite. Un peu de sel et c'est tout.

filets de morue salée
pommes de terre
carottes
1 ou 2 petits choux-fleurs
courgettes
betteraves rouges
poireaux
haricots verts
artichauts
œufs
escargots
thym
laurier
10 gousses d'ail
2 jaunes d'œufs
huile d'olive
sel

vin :
côtes-du-luberon rosé

Oursins

> Il ne faut ouvrir les oursins qu'au dernier moment. Découpez à chaque oursin un chapeau sur le dessous, c'est-à-dire du côté de la bouche, en prenant bien soin de ne pas abîmer le corail. Vous pouvez ôter l'eau de mer et les déchets bruns pour ne garder que le corail, mais les vrais mangeurs d'oursins mangent tout. Dégustez vos oursins tout de suite, avec des mouillettes de pain, comme les œufs à la coque. Et ne rajoutez ni citron ni vinaigre, le parfum des oursins se suffit à lui-même.

oursins
pain

Photo ci-contre.

Sardines aux épinards

> Lavez et triez les épinards, en enlevant les queues et les grosses nervures. Faites-les blanchir 5 min à l'eau bouillante et essorez-les bien.

> Faites dorer à la poêle un oignon haché dans un peu d'huile d'olive. Ajoutez alors les épinards hachés grossièrement, l'ail haché, puis saupoudrez avec la farine. Ajoutez un peu de lait chaud, du sel, du poivre, et donnez quelques tours de cuillère. Mettez dans un plat à gratin.

> Nettoyez les sardines, ôtez-leurs la tête, ouvrez-les par le ventre pour les vider et enlevez l'arête. Disposez-les sur les épinards, saupoudrez de gruyère râpé ou de chapelure. Arrosez d'un filet d'huile d'olive et faites gratiner 15 min à four chaud.

épinards
20 sardines
1 oignon
2 gousses d'ail
huile d'olive
1 c. à s. de farine
lait
gruyère râpé ou
chapelure
sel
poivre

vin :
côtes-de-provence blanc

Daurade badusclée du baron

> Préparez une belle et bonne braise de sarments et de pieds de vigne.

> Écaillez une daurade royale, videz-la et essuyez-la sans la laver. Mettez à l'intérieur de la daurade du sel et du poivre, du fenouil et de la sauge. Refermez et laissez reposer.

> Pendant ce temps, dans un bol, faites une vinaigrette avec du sel, du poivre, de l'huile d'olive et un peu de vinaigre.

> Fabriquez un petit balai en attachant avec une ficelle un gros bouquet de sauge fraîche à un bâton de bois de 30 à 40 cm de long. Ce petit balai de sauge servira à badigeonner la daurade de vinaigrette pendant la cuisson. Il faut le faire souvent, pour que le poisson ne se dessèche pas. C'est le secret de la recette.

> Posez la daurade entre deux grilles et laissez-la cuire environ dix minutes de chaque côté, sur la braise. Pour vérifier si la daurade est bien cuite, vous pouvez faire une incision avec une pointe de couteau entre l'ouïe et l'arête dorsale. Le temps de cuisson dépendra bien sûr de la grosseur de la bête.

> On peut cuire cette daurade badusclée au four, et c'est encore délicieux.

1 daurade royale
sel
poivre
fenouil
huile d'olive
vinaigre
1 gros bouquet de
sauge

vin :
coteaux d'Aix-en-
Provence blanc

Spaghetti au monstre

>Le monstre, c'est un poulpe d'1 kg, 1,5 kg maximum. Plus grosse, la bête sera trop dure. Il ne faut pas qu'elle soit trop fraîche non plus car alors la peau serait trop ferme. L'idéal c'est qu'elle soit pêchée de la veille et conservée un jour et une nuit au réfrigérateur. Bien, commencez par la battre vigoureusement et assez longtemps contre un rocher, cela va considérablement l'assouplir. Puis, il faut lui enlever le bec et les viscères, mais pas la peau.

>Dans une grosse marmite de terre cuite et un fond d'huile d'olive, faites dorer à petit feu quatre gousses d'ail épluchées. Dorer, pas roussir ni brûler. Retirez les gousses d'ail et mettez dans la marmite les belles tomates pelées et coupées en morceaux, ajoutez un piment de Cayenne et un peu de poivre. On salera à la fin car le poulpe risque de rendre un peu d'eau salée. Faites cuire la sauce 20 min puis jetez-y la bête qui doit cuire selon son poids plus ou moins une heure et demie à couvert. On vérifie la cuisson en piquant avec une fourchette qui doit pénétrer sans résistance. Si la sauce est trop liquide, faites réduire en découvrant. Salez si nécessaire et ajoutez une belle quantité de persil haché.

>Faites cuire les pâtes « al dente » dans une grande quantité d'eau salée, égouttez-les et au moment de servir, mélangez tout, pâtes, sauce et monstre, dans un grand plat.

1 poulpe d'1 kg, 1,5 kg
maximum
spaghetti
4 gousses d'ail
1,5 kg de tomates bien
mûres
huile d'olive
piment de Cayenne
sel
poivre
persil haché

vin :
coteaux d'Aix-en-Provence.
Les Baux rouge

Sauce rouge

>La sauce rouge est un simple coulis de pommes d'amour légèrement pimenté.

>Faites revenir dans un fond d'huile une gousse d'ail écrasée, un ou deux petits piments-oiseaux, puis ajoutez les tomates coupées en dés, un peu de sel, un morceau de sucre et quelques feuilles de basilic.

>Couvrez et laissez cuire une heure à petit feu.

1 gousse d'ail
2 piments-oiseaux
des tomates bien mûres
huile d'olive
basilic
sel
sucre

Sauce verte

>Hachez en abondance du persil plat avec une gousse d'ail.

>Mettez ce hachis dans une poêle à petit feu, avec le beurre et l'huile d'olive. Au bout d'un moment, ajoutez la chapelure blanche et faites un peu roussir en tournant avec une cuillère en bois. Arrosez d'un trait de vinaigre avec un peu de sel et de sucre en poudre.

>Une fois la sauce bien refroidie, il n'y a plus qu'à la diluer avec de l'huile d'olive et la servir.

persil plat
gousse d'ail
beurre
huile d'olive
1 c. à s. de chapelure
vinaigre
sel
sucre en poudre

Conserves de tomates

> Lavez les tomates, essuyez-les.
Coupez-les en deux et enlevez les
graines. Puis rangez-les, les unes sur
les autres, dans des bocaux. Couvrez-
les avec de l'eau légèrement salée, et
fermez hermétiquement les bocaux.
Rangez les bocaux dans une
lessiveuse ou dans un stérilisateur.
Entourez-les de foin ou de paille
pour qu'ils ne s'entrechoquent pas à
l'ébullition. Remplissez la lessiveuse
d'eau froide et mettez sur le feu.
Portez à ébullition et faites stériliser
15 min environ.

**des tomates assez
fermes
sel**

Coulis de tomate

> Il s'agit ici de conserver une purée de
tomates sans assaisonnement. Cette
purée ne saurait être employée telle
quelle. Utilisez-la comme base de
délicieuses sauces.

**des tomates
bien mûres**

> Il vous faut de belles tomates rondes
et mûres. Pelez-les et égrainez-les
(pour les peler facilement, il suffit de
les plonger 2 mn dans une casserole
d'eau bouillante).

> Coupez la chair en morceaux et
faites-la cuire 15 min. Puis passez-la
au tamis. Versez la purée obtenue
dans des bocaux. Fermez-les
hermétiquement, et rangez-les dans
le stérilisateur. Remplissez d'eau
froide et faites stériliser pendant une
heure après l'ébullition. Laissez bien
refroidir.

Rouille

>La rouille doit son nom à la couleur que lui donne le piment rouge d'Espagne. Elle accompagne la bouillabaisse.

>Dans un mortier, écrasez finement avec le pilon l'ail et trois piments rouges d'Espagne. Ajoutez un morceau de mie de pain gros comme une noix, trempé dans le bouillon de la bouillabaisse et bien pressé ensuite, et continuez de piler en montant avec de l'huile d'olive.

>Quand la rouille est bien ferme, vous pouvez soit la servir telle quelle comme un aïoli, soit y ajoutez une petite louche du bouillon de la bouillabaisse et la servir en saucière.

3 gousses d'ail
3 piments rouges d'Espagne
mie de pain
bouillon de bouillabaisse
huile d'olive

Rouille d'oursin

>La rouille d'oursin est moins brutale que la rouille traditionnelle, et je la trouve exquise. Prélevez la quantité d'un demi-verre de corail d'oursin. Dans un mortier, pilez trois gousses d'ail avec les foies de poissons que vous aurez plongés deux minutes dans la soupe chaude et bien égouttés. Ajoutez un jaune d'œuf (de même température que l'huile), du sel, du poivre, du safran, et le corail d'oursin, puis versez petit à petit de l'huile d'olive pour monter votre sauce, comme pour l'aïoli.

corail d'oursin
3 gousses d'ail
foies de poisson
1 jaune d'œuf
sel
poivre
safran
huile d'olive

Anchoïade

>Prenez des anchois au sel, lavez-les à l'eau courante et levez les filets. Écrasez-les à l'aide d'une fourchette et mettez-les dans une poêle avec un petit verre d'huile d'olive, une cuillerée de vinaigre et un tour de poivre du moulin.

>Portez cette poêle à feu très doux car les anchois doivent fondre dans l'huile sans jamais bouillir. Tournez doucement un quart d'heure jusqu'à ce qu'ils soient bien fondus.

>Servez avec des légumes crus et débités en bâtonnets.

10 anchois
1 verre d'huile d'olive
vinaigre
poivre

Photo ci-contre.

Bocal d'anchois

>Choisissez de beaux anchois bien charnus et surtout très frais. Ne les lavez pas mais essuyez-les bien. Ne les videz pas non plus. Mettez-les à saler dans le même poids de sel fin pendant 3 h. Ensuite, faites-les baigner 3 h dans du vinaigre blanc.

>Vous pouvez alors enlever l'arête centrale et la tête, et ranger les filets d'anchois en ajoutant au fur et à mesure de l'ail et du persil hachés et de la bonne huile d'olive.

>Conservez ce bocal au frais mais pas plus d'un mois. Pensez à le mettre à température ambiante quelques heures avant de servir et mangez ces anchois avec du pain et du beurre.

anchois
sel fin
vinaigre blanc
ail
persil
huile d'olive

Bocal de fromages de chèvre à l'huile

> Choisissez de petites tommes de chèvre un peu sèches.

> Prenez un grand bocal de verre muni d'un couvercle, mettez au fond une couche de petits fromages et recouvrez-les d'une couche de sarriette. La sarriette suffit à parfumer l'huile et les fromages, et c'est plutôt moins bien d'y mettre trop d'aromates. Vous n'êtes pas en train de faire une bouillabaisse !

> Continuez à remplir le bocal avec de nouveau une couche de fromages, puis quelques herbes et ainsi de suite. Baignez alors les fromages d'huile d'olive, fermez le bocal et attendez un mois avant de l'ouvrir à nouveau.

des fromages de chèvre (par exemple de Banon) un peu secs
sarriette
huile d'olive

vin :
côtes-du-luberon blanc

Clafoutis aux cerises

>J'aime ce délicieux clafoutis avec des grosses cerises noires assez mûres, mais on peut le faire de la même façon en d'autres saisons avec d'autres fruits (pêches en été, poires et figues à l'automne ou pommes en hiver).

>Commencez par bien beurrer un plat à four en terre ou en porcelaine. Puis, déposez les cerises entières avec leurs noyaux et sans leurs queues en une couche de trois centimètres.

>À part, dans une terrine, mélangez la farine, le sucre en poudre et une pincée de sel. Ajoutez le lait petit à petit en battant au fouet vigoureusement pour qu'il n'y ait pas de grumeaux, puis les œufs, un par un.

>Versez le mélange sur les fruits et mettez à cuire à four moyen un quart d'heure.

>Au bout de ce temps, saupoudrez le dessus du clafoutis de sucre en poudre et parsemez de quelques petites noisettes de beurre.

>Remettez le plat au four encore une dizaine de minutes. Servez tiède ou froid.

cerises
5 c. à s. de farine,
5 c. à s. de sucre en poudre
1 pincée de sel
5 dl de lait
5 œufs
beurre

Tarte ordinaire

>Premièrement, faites une pâte en mélangeant à la main la farine avec le sucre en poudre, une pincée de sel et un sachet de sucre vanillé, puis le beurre mou et l'œuf entier. Laissez reposer cette pâte une demi-heure au frais.

>Deuxièmement, mixez 150 g de beurre avec 1 œuf entier et 125 g de sucre en poudre, puis, quand le mélange est lisse, incorporez délicatement 100 g de farine. D'autre part, fouettez en chantilly la crème fraîche et mélangez doucement ces deux préparations.

>Dans un troisième temps, beurrez et farinez un moule à tarte ou vous étendrez la première pâte. Épluchez cinq pommes et coupez-les en tranches ni trop épaisses, ni trop fines. Disposez régulièrement les tranches de pommes sur la pâte.

>Enfin, recouvrez les pommes de la deuxième pâte, saupoudrez de quelques amandes émincées et d'un peu de sucre en poudre, et faites cuire une petite heure à four doux. Laissez refroidir avant de servir.

Pour la pâte
250 g de farine
125 g de sucre
1 pincée de sel
1 sachet de sucre vanillé
150 g de beurre mou
1 œuf

Pour la garniture
1 œuf
150 g de beurre
125 g de sucre en poudre
100 g de farine
25 dl de crème fraîche légère
5 pommes
amandes émincées

vin :
muscat de Beaumes-de-Venise

Gâteau de poires

>Dans un saladier, mélangez le beurre mou avec le sucre en poudre et le sucre vanillé. Puis, incorporez, un à un, les œufs. Parfumez avec l'alcool de poire. Ajoutez la farine, la levure et une pincée de sel.

>Allongez la pâte avec un petit peu de lait, mais pas trop cependant, car elle doit être épaisse pour pouvoir supporter le poids des fruits qui ne doivent pas tomber au fond du moule.

>Versez dans un moule à manqué beurré.

>Pelez et coupez les poires en quartiers. Disposez-les sur la pâte de façon à recouvrir le gâteau, et faites cuire le temps qu'il faut à four moyen plutôt doux (une cinquantaine de minutes).

>Vous pouvez aussi faire ce gâteau avec des pommes, des cerises, des mûres ou des mirabelles. Il faut deux centimètres de fruits au-dessus de la pâte.

6 ou 7 belles poires
250 g de beurre mou
250 g de sucre en poudre
1 sachet de sucre vanillé
4 gros œufs
1 c. à s. d'alcool de poire
500 g de farine
1 sachet de levure chimique
1 pincée de sel
lait

vin :
vin cuit de Salen
Domaine des Bastides

Gâteau aux pommes et au caramel

>Fouettez les œufs avec le sucre en poudre et le sucre vanillé. Incorporez à ce mélange le beurre fondu, puis, petit à petit, la farine et la levure.

>Faites un beau caramel roux au fond d'un moule à manqué.

>Épluchez quatre ou cinq pommes et coupez-les en quartiers. Disposez ces morceaux de pommes bien rangés et serrés les uns contre les autres, le côté rond de la pomme posé sur le caramel.

>Puis versez la pâte sur les pommes et enfournez pour une bonne demi-heure à température moyenne.

>Démoulez immédiatement avant que le caramel ne durcisse.

>Fait la veille et enveloppé une fois refroidi dans du papier d'aluminium, ce gâteau sera encore bien meilleur.

4 œufs
200 g de sucre en poudre
1 paquet de sucre vanillé
150 g de beurre
200 g de farine
1 paquet de levure
4 ou 5 pommes

Sur la photo ci-contre, avec le gâteau aux pommes et au caramel on a servi des croissants à la vanille (recette page 103) et un cake aux fruits confits (recette page 88).

Gâteau de chocolat

>Faites un sirop avec le sucre en poudre et un peu d'eau. Quand le mélange mousse, baissez le feu et incorporez le chocolat, puis hors du feu le beurre. Ajoutez les œufs un à un, puis la farine tamisée.

>Versez dans un moule beurré large et plat, mais cependant suffisamment haut pour pouvoir le faire cuire au bain marie une petite heure dans un four moyen (six ou sept au thermostat).

>Démoulez ce gâteau directement dans le plat de service car il ne supporte pas trop de manipulations. Laissez-le complètement refroidir avant de le recouvrir d'une feuille de papier d'aluminium.

>Le plus difficile reste encore à faire : il faut impérativement le cacher dans un endroit frais, mais pas au réfrigérateur et attendre vingt-quatre heures avant de le servir.

>Encore un conseil, si d'aventure ce gâteau se démoulait mal, ce qui arrive parfois, reconstituez-le en lissant le dessus avec la lame d'un couteau, puis saupoudrez-le de sucre glace ou de cacao en poudre, et l'on n'y verra que du feu !

150 g de sucre en poudre
300 g de chocolat noir amer
250 g de beurre
3 œufs
80 g de farine

Cake aux fruits confits

>La veille, faites tremper les fruits confits, les cerises confites et les raisins secs lavés et égouttés dans autant de bon vieux rhum qu'il en faut pour baigner les fruits.

>Travaillez vigoureusement le beurre avec le sucre en poudre et une pincée de sel, jusqu'à ce que le mélange soit onctueux et blanchi. Ajoutez le zeste râpé du citron, les œufs l'un après l'autre en mélangeant bien chaque fois, puis peu à peu la farine et la levure.

>Égouttez les fruits, mélangez-les à la pâte, et ajoutez une cuillerée à soupe du rhum recueilli (gardez le reste dans un flacon, il resservira pour un prochain cake).

>Beurrez un moule à cake et garnissez-le de papier sulfurisé, puis mettez-y la pâte en tenant compte qu'elle va doubler de volume en cuisant. Faites cuire votre cake à four modéré environ 45 mn.

>Sortez-le du four, démoulez-le et laissez-le refroidir sur une grille de pâtissier, puis emballez-le dans du papier d'aluminium et attendez au moins le lendemain pour le manger. Je vous promets que cette admirable patience sera merveilleusement récompensée.

125 g de morceaux de fruits confits (écorces d'orange et de citron, cédrats, melon, pêches et abricots).
125 g de cerises confites entières
125 g de raisins secs
125 g de beurre
125 g de sucre
1 citron non traité
3 œufs
250 g de farine
1 demi-paquet de levure chimique
1 c. à s. de rhum

Saint-Honoré

> Faites une pâte brisée avec la farine, une pincée de sel, le beurre et un œuf. Pétrissez du bout des doigts en ajoutant de 15 à 20 cl d'eau. Mettez en boule et laissez reposer cette pâte 1 ou 2 h. Puis, faites un disque de pâte de 0,5 cm d'épaisseur en l'abaissant au rouleau à pâtisserie. Déposez-le sur une plaque beurrée et farinée et faites-le cuire 20 min à four moyen.

> Préparez des choux. Dans une casserole, faites chauffer un demi-litre d'eau, le beurre, le sel et le sucre en poudre. Portez à ébullition et versez, en une seule fois, la farine. Mélangez vivement hors du feu avec une spatule en bois jusqu'à ce que la pâte se détache facilement de la casserole. Laissez refroidir cette pâte, puis incorporez les œufs, un par un. Avec la poche à douille, faites des petits choux sur une plaque beurrée, en pensant qu'ils vont tripler de volume à la cuisson. Faites-les cuire 30 min au four, th.5.

> Ensuite, faites un beau caramel roux. Laissez couler une goutte de caramel sur chaque chou pour en caraméliser le dessus.

> D'autre part, faites une crème pâtissière : mélangez dans un saladier le sucre en poudre, la farine, une pincée de sel et 6 jaunes d'œufs. Versez le lait presque bouillant dans le mélange en mélangeant avec un fouet. Remettez le tout dans la casserole puis sur le feu jusqu'à ébullition et sans cesser de remuer. Il faut remuer souvent jusqu'à complet

Pour la pâte :
250 g de farine
1 pincée de sel
125 g de beurre
1 œuf

Pour les choux :
200 g de beurre
15 g de sel
30 g de sucre
400 g de farine
12 œufs

Pour le caramel roux :
une vingtaine de
morceaux de sucre
1 c. à s. d'eau

Pour la crème
pâtissière :
250 g de sucre en
poudre
60 g de farine
1 pincée de sel
6 jaunes d'œufs
1/2 l de lait

refroidissement pour éviter que ne se
forme une croûte à la surface de la
crème. Quand celle-ci est froide,
versez-la sur le fond de pâte, au
milieu de la couronne de choux.

>Traditionnellement on décore ce
gâteau, à l'aide d'une poche à
douille, avec de la crème fouettée en
Chantilly et parfumée de sucre
vanillé.

Fougasse au beurre

>Prenez chez votre boulanger la
quantité d'une baguette de pâte à
pain crue. Pétrissez-la avec le beurre
mou jusqu'à ce que celui-ci soit
complètement absorbé par la pâte.
Aplatissez-la avec les mains en lui
donnant une forme ovale sur un
centimètre d'épaisseur.

>Pratiquez sur la pâte quelques
incisions en oblique avec un
couteau, comme si vous dessiniez les
nervures d'une feuille.

>En déposant la fougasse sur une tôle
beurrée et farinée, prenez garde à
bien ouvrir ces nervures.

>Laissez lever une heure, puis faites
cuire la fougasse un bon quart
d'heure à four moyen.

>Pour la servir, il faut la rompre avec
les mains, comme le pain de la
Cène, jamais la couper.

1 baguette de pâte à
pain crue
75 g de beurre

Salade d'oranges au caramel

>Pelez les oranges à vif, et coupez-les en rondelles, pas trop fines. Disposez-les dans le plat de service.

>D'autre part, faites un caramel roux avec vingt-cinq morceaux de sucre et très peu d'eau. Lorsqu'il a belle couleur, retirez-le du feu, versez-y une goutte d'eau froide pour arrêter la cuisson et attendez quelques instants qu'il prenne un peu consistance, tout en ne cessant pas de bouger la casserole. Mais n'attendez pas trop longtemps car sinon il se figerait tout à fait. Donc, dès qu'il a un peu épaissi, versez ce caramel en rubans sur les oranges. Placez la casserole assez haut au-dessus du plat, un peu comme le ferait un Marocain pour servir du thé à la menthe, afin que le caramel, en coulant, ait le temps de refroidir et de se figer partiellement. Avec un peu d'expérience et d'habileté, vous parviendrez à maîtriser ce fil de caramel et à en organiser le dessin.

>Servez assez rapidement, car si l'on attendait trop, le jus des oranges ferait fondre le caramel.

7 belles oranges
25 morceaux de sucre

Gâteau de riz

>Vous commencerez par faire un beau caramel blond-roux avec vingt morceaux de sucre et très peu d'eau, juste assez pour humidifier le sucre, au fond d'un moule rond de pyrex ou de porcelaine à feu. La parfaite cuisson du caramel est une question de sensibilité et d'habitude : trop foncé, c'est-à-dire trop cuit, il sera amer, et trop blond, il n'aura pas de goût. Quand le caramel est cuit et encore liquide, tournez le moule dans tous les sens pour étaler le caramel sur les parois, puis laissez refroidir.

>Faites cuire le riz, lavé et égoutté, dans une casserole d'eau bouillante pendant cinq bonnes minutes. Faites bouillir le lait avec le bâton de vanille fendu et les zestes d'orange séchés. Quand le lait bout, baissez le feu et ajoutez le riz gonflé et égoutté. Laissez cuire alors une heure à feu doux et jusqu'à presque complète absorption du liquide. Le riz doit être encore un peu crémeux. Retirez du feu. Battez les œufs avec un peu de sucre en poudre, pas trop car le caramel va lui aussi sucrer le gâteau. Mélangez les œufs sucrés à votre riz, ôtez le bâton de vanille et laissez l'orange. Vous pouvez à ce moment ajouter des fruits confits et des raisins secs, mais ce n'est pas absolument indispensable.

>Versez le mélange dans le moule caramélisé et laissez cuire au bain-marie, à four doux pendant 30 à 40 mn. Laissez complètement refroidir avant de démouler. Ce gâteau de riz est encore meilleur le lendemain.

20 morceaux de sucre
1 tasse de riz rond de Camargue
1 l de lait
1 bâton de vanille
3 ou 4 zestes d'orange séchés
4 œufs
sucre en poudre
fruits confits (facultatif)
raisins secs (facultatif)

Beignets de fleurs d'acacia

> Faites une pâte à beignets en délayant dans un saladier la farine et une pincée de sel avec un verre d'eau. Ajoutez un œuf et une cuillerée à soupe d'huile d'olive. Travaillez bien jusqu'à ce que la pâte soit lisse, puis laissez-la reposer une heure ou deux.

> Au moment de faire les beignets, battez deux blancs d'œufs en neige ferme avec une pincée de sel, puis incorporez-les délicatement à la pâte.

> Faites chauffer l'huile de friture. Trempez les grappes de fleurs d'acacia dans la pâte et plongez-les dans la friture chaude. Retournez-les, sortez-les avec une écumoire et déposez-les sur un papier absorbant. Enfin saupoudrez-les de sucre en poudre et servez-les tièdes.

Fleurs d'acacia
250 g de farine
1 pincée de sel
1 c. à s. d'huile d'olive
3 œufs
1 pincée de sel
sucre en poudre
huile de friture

Gratin d'abricots

>Dans un saladier, mélangez avec les doigts la farine, la poudre d'amandes, le sucre en poudre et une pincée de sel avec le beurre. Ajoutez les pignons de pin et les amandes entières émondées et pelées.

>Dans un plat à gratin de terre vernissée, disposez bien à plat un lit de beaux abricots frais entiers et dénoyautés. Puis, versez simplement sur les abricots le sable aux fruits secs en le répartissant également et sans l'écraser.

>Faites cuire une heure à four doux et servez tiède.

des abricots bien mûrs
100 g de farine
100 g de poudre d'amandes
100 g de sucre en poudre
150 g de beurre
100 g de pignons de pin
100 g d'amandes
sel

Gratin de figues

>Lavez les figues, essuyez-les, ôtez-en le petit bout de la queue mais ne les pelez pas. Fendez-les largement en deux sans les ouvrir tout à fait, puis disposez-les bien rangées les unes contre les autres, ouvertes vers le haut dans un plat à gratin en terre. Arrosez-les d'une bonne rasade d'alcool de fruit et déposez un petit morceau de beurre dans chaque fente. Saupoudrez de sucre et faites cuire au moins une heure et demie à four très doux.

>Laissez un peu refroidir et servez tiède avec de la crème fraîche épaisse ou de la chantilly.

des figues bien mûres et charnues
alcool de fruit (poire ou framboise)
beurre
sucre
crème fraîche épaisse
ou
chantilly

Petits croissants à la vanille

> Faites une pâte avec les doigts en mélangeant le beurre, la farine, les amandes en poudre et le sucre. Laissez reposer cette pâte pendant une heure dans le réfrigérateur.

210 g de beurre
210 g de farine
100 g d'amandes en poudre
50 g de sucre en poudre

>Puis formez des petites lunes de pâte de la taille d'un quartier de mandarine et rangez-les sur une tôle beurrée.

>Faites-les cuire à four doux une vingtaine de minutes, mais surveillez-les bien car ils doivent rester pâles.

>Enfin roulez-les tout chauds dans un mélange de sucre en poudre et de sucre vanillé, ce qui doit se faire avec beaucoup de délicatesse car les petits croissants sont assez fragiles quand ils sortent du four.

>Laissez-les refroidir avant de les manger, et si je ne vous parle pas de les ranger dans une boîte de fer, c'est parce qu'il est impossible de résister à la tentation de les finir sur l'heure.

Navettes

>Faites un sirop en faisant bouillir
1 dl d'eau avec le sucre en poudre
pendant cinq minutes, puis laissez
refroidir.

>Dans un tian, tamisez la farine, une
pincée de sel et faites un sable en lui
incorporant le beurre ramolli.
Versez ensuite sur ce sable le sirop et
l'eau de fleur d'oranger.

>Travaillez bien le tout pour faire une
pâte souple et lisse. Étalez la pâte au
rouleau en une feuille de 8 mm
d'épaisseur et, avec un couteau,
découpez des losanges de sept
centimètres de long et pratiquez une
fente sur toute la longueur de
chaque biscuit. Beurrez la plaque du
four et disposez dessus vos navettes.
Faites cuire une vingtaine de
minutes à four moyen. Les navettes
sont des biscuits pâles qui ne doivent
pas prendre couleur. Laissez-les bien
refroidir avant de les enfermer dans
une boîte de fer.

120 g de sucre
300 g de farine
1 pincée de sel
150 g de beurre ramolli
1 c. à s. d'eau de fleur
d'oranger

Croquets
aux amandes

>Commencez par faire un sirop avec le sucre et 1 dl d'eau. Laissez cuire doucement sans cesser de remuer jusqu'au filet : lorsqu'en pleine ébullition le sirop commence à épaissir, une goutte prise entre le pouce et l'index forme un fil de sucre quand on écarte les doigts. Retirez la casserole du feu, versez le sirop dans un grand bol et jetez-y les amandes mondées. Laissez-les ainsi pendant quatre heures.

>Au bout de ce temps, sur une surface lisse (marbre), faites une fontaine avec la farine et versez au centre le sirop et les amandes, les œufs et une pincée de sel. Travaillez d'abord du bout des doigts puis à pleines mains pour faire une pâte lisse. Abaissez-la sur un centimètre d'épaisseur, puis découpez des bandes de vingt centimètres de long sur trois de large et mettez-les sur une plaque beurrée. Faites-les cuire à four moyen une vingtaine de minutes et quelques minutes après les avoir sorties du four, lorsqu'elles sont à moitié refroidies, découpez-les en croquets d'un centimètre sur trois.

>Laissez-les bien refroidir avant de les enfermer dans une boîte en fer.

350 g de sucre
1 dl d'eau
350 g d'amandes
500 g de farine
4 œufs entiers
1 pincée de sel

Crème à la neige

>Nous allons faire cette crème avec 8 œufs pour 1 l de lait. Séparez les blancs des jaunes et ne conservez que 5 blancs d'œufs.

>D'une part, battez les jaunes avec le sucre en poudre jusqu'à ce que le mélange soit onctueux.

>D'autre part, faites chauffer le lait. Battez les blancs en neige très ferme avec une petite pincée de sel et faites-les cuire rapidement, par petits tas dans le lait chaud. Egouttez-les avec une écumoire et posez-les dans un joli saladier.

>Faites un caramel avec 20 morceaux de sucre et très peu d'eau et coulez un tiers du caramel sur les blancs.

>Filtrez le lait dans une passoire et délayez le reste du caramel dans ce lait. Versez le lait, petit à petit, sur les jaunes. Remettez sur un tout petit feu et tournez avec une cuillère en bois, sans arrêt, jusqu'à ce que la cuillère se nappe. Faites très attention de ne pas prolonger la cuisson, car vous feriez brousser la crème. La crème est prête.

>Versez cette crème dans le plat, autour des œufs à la neige et laissez refroidir. Mettez au réfrigérateur une heure avant de servir.

8 œufs
1 l de lait
100 g de sucre en poudre
20 morceaux de sucre

Compote de fruits secs

>Mettez les pruneaux dénoyautés, les dattes dénoyautées et les abricots secs dans une casserole.

>Versez 2 dl de thé, le jus et le zeste râpé de deux oranges, une bonne pincée de cannelle en poudre et 4 c. à s. de miel..

>Couvrez et laissez cuire à feu doux pendant quinze minutes.

>Sortez du feu et ajoutez les pignons de pins.

>Versez dans un joli compotier et attendez quelques heures avant de servir avec une glace au miel ou, mieux encore, une crème au pain d'épice (recette double page suivante).

300 g de pruneaux dénoyautés
300 g de dattes dénoyautées
300 g d'abricots secs
2 dl de thé
2 oranges
cannelle en poudre
4 c. à s. de miel
300 g de pignons de pins

vin :
côtes-du-rhône
Rasteau moelleux

Crème au pain d'épices

> Lavez les raisins de Smyrne, et mettez-les à gonfler dix minutes dans de l'eau bouillante.

> Dans une casserole, portez doucement à ébullition le lait, la crème liquide et une gousse de vanille fendue en deux, puis laissez infuser quelques minutes.

> Dans un grand bol, mélangez 1 c. à s. de miel avec 2 jaunes d'œufs et une c. à c. d'anis vert. Versez dessus le lait chaud, mélangez, remettez dans la casserole et laissez épaissir la crème à feu très doux, sans cesser de remuer avec un fouet ou une cuillère en bois.

> Dans un saladier, émiettez le pain d'épice, versez dessus la crème bouillante et travaillez au fouet jusqu'à ce que le mélange soit homogène. Ajoutez alors les raisins secs bien égouttés, laissez refroidir, puis mettez au réfrigérateur pour trois heures environ.

50 g de raisins de Smyrne
25 cl de lait
40 cl de crème liquide
1 gousse de vanille
1 c. à s. de miel
2 œufs
1 c. à c. d'anis vert
400 g de très bon pain d'épice au miel

Caramels

> Dans une casserole épaisse, faites fondre, à petit feu, le même poids de beurre, de miel, de chocolat noir et de sucre en poudre. Cette opération doit se faire doucement, en remuant constamment.

un même poids de
beurre
miel
chocolat noir
sucre en poudre

> Quand ça bout, laissez faire quelques bouillons, jusqu'à ce que le mélange prenne une consistance plus onctueuse et liée. Et sachez que moins ça cuit, plus les caramels seront mous, et plus ça cuit, plus ils seront durs. Si ça cuit trop vite, ils seront ratés !

> Versez le contenu de votre casserole sur une plaque beurrée (le marbre est idéal) et laissez un peu refroidir avant de couper en petits carrés. Il est bien difficile de faire des carrés aussi parfaits que ceux que faisait ma grand-mère, les miens ressemblent toujours à de curieuses petites crottes ! Exquises cependant.

> Enveloppez chaque caramel dans son petit papier d'aluminium. Et gardez-les dans le secret d'une boîte de fer. Mais vous aurez beaucoup de mal à les garder longtemps…

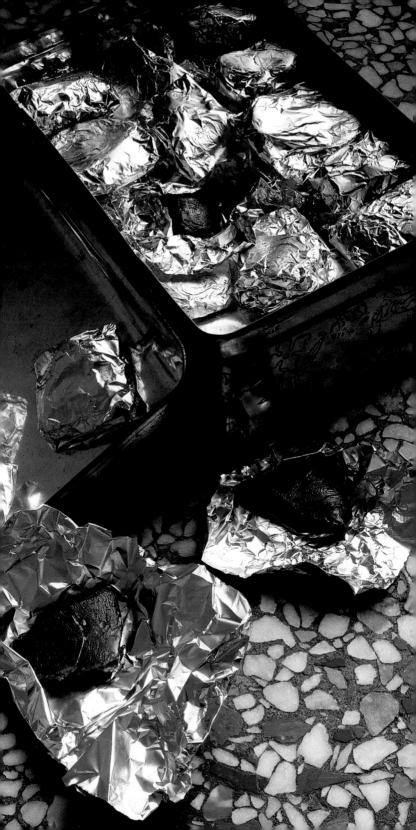

Confiture de gratte-cul

> Pour commencer, vers le mois d'octobre, lors d'une promenade, il vous faut trouver un joli buisson de gratte-cul – vous savez, le rosier sauvage ou l'églantier – avec les fruits, que le dictionnaire encyclopédique appelle cynorhodons, bien gonflés et bien rouges. Remplissez un panier de ces fruits.

> De retour à la maison, vous allez trier les gratte-cul : réservez les plus secs pour faire des tisanes quand vous avez pris froid, ils sont bourrés de vitamine C. Avec les plus mûrs, nous allons faire une délicieuse confiture. Mais il faut d'abord ôter les graines : fendez les fruits dans le sens de la longueur comme vous le feriez pour dénoyauter une datte et débarrassez-les des graines et des petits poils qui les entourent.

> Une fois les fruits bien nettoyés, pesez-les et mettez-les dans la bassine à confiture avec 750 g de sucre cristallisé par kilo de fruits et laissez ainsi macérer toute une nuit. Le lendemain, faites cuire pendant une demi-heure environ et recommencez deux jours de suite, puis mettez en pots.

> Pour le goûter, servez cette confiture avec de grandes tartines de pain de campagne beurrées.

750 g de sucre cristallisé par kilo de fruits

Confiture de pastèque

>La veille, coupez la pastèque en tranches, ôtez l'écorce et les graines et coupez la chair en petits dés, puis pesez-la. Pour chaque kilo de fruit, vous ajouterez un citron non traité coupé en très fines rondelles, un bâton de vanille fendu et 750 g de sucre en poudre ou cristallisé. Laissez reposer l'ensemble toute la nuit.

> Le lendemain, versez dans une bassine à confiture. Faites cuire une demi-heure trois jours de suite jusqu'à ce que les fruits soient devenus translucides et le sirop épais. Surveillez bien la cuisson de cette confiture car elle mousse beaucoup et déborde facilement. Laissez refroidir et mettez en pots.

>C'est une parfaite confiture de dessert à servir avec des biscuits ou du fromage blanc.

1 pastèque
par kilo de fruit :
1 citron non traité
1 bâton de vanille
750 g de sucre en poudre

INDEX DES RECETTES

© Flammarion, 2002
Imprimé en France
Achevé d'imprimer et broché
en décembre 2002
sur les presses de Pollina SA, Luçon
N° d'impression - L85287
ISBN : 2082007812
N° d'édition : FT0781
Dépôt légal : février 2002

Direction éditoriale :
Ghislaine Bavoillot
Responsable de l'édition :
Nathalie Démoulin
Direction artistique :
Nicolas Trautmann
Mise en page : Jérémy Cadrieu
Photogravure : Dupont, Paris
Fabrication : Tatiana Nadin